KB171569

꿈꿔왔던, 너와의 세계

꿈꿔왔던, 너와의세계

발　행 | 2024년 3월 26일
저　자 | 이 선
펴낸이 | 한건희
펴낸곳 | 주식회사 부크크
출판사등록 | 2014.07.15.(제2014-16호)
주　소 | 서울특별시 금천구 가산디지털1로 119 SK타워 A동 305호
전　화 | 1670-8316
이메일 | info@bookk.co.kr

ISBN | 979-11-410-7791-4

www.bookk.co.kr

꿈꿔왔던,
너와의 세계

김선화

CONTENT

저는 평범한 중학교 3학년, 학생입니다. 저는 어릴때부터 독서를 좋아했고 그만큼 독서도 많이 하게 되었습니다. 그러다가, 평소와 다름없이 인터넷을 둘러보다가 bookk (부크크)를 발견하였습니다. 그리고, 소설에 관심을 가졌고, 한 동안 글을 연습하며 소설을 오랜기간 동안 연습을 하며 써보게 되었습니다. 제가 여기까지 성장하게 도와주신, bookk (부크크)에게 이 책을 읽어주신 독자님들에게 감사를 표합니다.

제1장 한겨울의 밤

평범함. 평범함이란, 특별하지 않으며 흔히 볼 수 있는 일반인이 가지고 있는 것들중 하나인, 일부분을 말한다. 나도 얼마 전까지는 평범했다. 눈부시게 비쳐오는 햇살 아래에서 즐거운 학교생활을 하며, 즐겁게 친구들과 수다를 떨며 행복하게 지낸, 그런 일상을 보내왔다.

한마디로 나의 일상으로 둘러싸여진, 삶은 정말로 평범하다고 할 수 있었다. 하지만, 어느 순간부터 그렇지 않게 되었다.

내가 평범하지 않게 되어버린, 그날 밤은 어느 때보다 달이 보랏빛을 내었고 어두운 밤이라 그런지, 반딧불이가 평소보다 더 밝게 빛났었다. 그리고, 하늘에서는 하얀 눈송이가 내려오는 겨울의 시작이었다.

“벌써, 겨울이네..”

공원 근처 길거리에는 반짝반짝하게 밝은 트리가 있었고, 길거리에는 온통 눈이 쌓여있었다. 거기에, 밝게 빛나는 가로등의 불빛까지.

거기에서 나는 이상하다고 눈치를 챘어야 했다. 하지만, 어리석게도 난 눈치채지 못했다. 그렇게, 어리석게 나는 여유롭게 연둣빛의 잔디들이 많은 공원을 지나가고 있었다.

그 순간에 나에게 한 통의 전화가 걸려

왔다. 뭐지, 모르는 번호인데..라고 중얼거리고, 전화를 아무렇지 않게 받았다. 하지만, 나는 곧 이어 이 순간에 머릿속이 하얗게 질렸다.

머릿속이 하얗게 질린 것도 잠시 난 그럴 리가 없다며 부정하며 어느 한 장소로 달리기 시작했다.

하아, 나는 불규칙하게 숨을 내쉬었다. 그러자, 나의 주변에 하얀 입김이 몽글몽글 피어났다. 나의 손가락 마디 끝에는 붉은빛이 띠었다. 하지만, 상관없었다.

하얀 입김들이 나를 감싸와도 넘어져도

난 지금, 이 순간이 세상에서 제일 중요해서.

그래서 뭐가 어찌 됐든, 앞으로 나아갔다. 웃기지 마, 사람이라면 그런 선택을 하면 안되는 거잖아.

만약, 그게 사실이라면 나는 그를 죽여버릴 거야라는 충동이 몰려올 만큼 믿기 힘든 현실이었다. 그렇게 숨을 헐떡이며 그곳에 도착했다.

내가 도착한 곳은 병원. 여러 사람들이 다치면 치료해 주는 의료시설이다. 내가 어째서, 여기를 또다시 방문했을까. 제발,

내가 생각하는 일이 일어나지 않도록 바라며 나는 병원 내부로 들어갔다.

급하게 뛰어와서 그런지, 손끝이 붉게 물들여졌고 얼음덩이처럼 손이 차가웠지만, 나는 계속 찾아다녔다.

부들거리는 다리를 간신히 붙잡고 말이다.

내가 향하고 있는 그곳은 입원실. 조금 전에 통화를 받았을 때, 간호사분이 분명히 이곳에 잠시 와달라고 말씀하셨으니까. 하지만, 내가 지금 할 수 있는게 있나?

아니, 내가 이곳에 도착했어도 지금 내가 할 수 있는 건 존재하지 않는다. 그저, 신에게 기도하는 그 무력한 짓밖에 할 수 없다.

부들부들 떨리고 붉게 물들어진 손, 진정하려 애써 노력했지만, 그럴 수가 없었다. 원망이라는 감정에 휩싸인 내가 진정할 리가 전혀 없잖아.

그것도 내 가족을 잃을 순간에 말이야. 그렇게 나는 나의 옷자락을 움켜쥐며 수술이 끝날때까지, 기다렸다. 그렇게 시간이 흘러갔고, 파란색을 둘러싼 수술복. 의사분과 피범벅인, 간호사분들이 나오셨다.

나는 의사분에게 희망을 품고, 입술을 떨면서 물어보았다.

"선생님, 저의..아빠 괜찮으신 거죠..?" "안전하게 수술 끝난 거 맞죠?" "그런 거죠?"

"..정말 죄송합니다. 저희가" "환자분을 살리려고" "저희가 최대한 노력은 해봤습니다만"

"환자분이 출혈이 심하셔서" " 오후, 8시 42분에 사망하셨습니다." "그럴 리가.."

역시, 신 따위는 존재하지 않았다. 신이 나에게 있다면, 나에게 왜 이러는지 따지고 싶었다. 왜 그렇게, 나의 소중한 사람들을 앗아가는지 묻고 싶었다.

차라리, 내 가족들을 앗아갈 거면, 난 왜 이 거지 같은 세상에서 태어났는지 말이다. 게다가, 사고사가 아닌 누군가에 의한 총상의 의한, 타살이었기에 난 참을 수 없는 무언가의 감정이 들끓었다.

나는 아랫입술을 깨물었고 곧이어 나의 입술에서 붉은빛의 피가 나오는 동시에 나의 눈에서도 투명한, 눈물이 흘러나왔다.

도저히, 멈출 기미가 보이지도 않았고, 멈추고 싶지도 않았다. 이 세상은 왜 이리 잔인한 건지. 그들은 내 인생을 망치는 것도 모자라서 아빠까지 앗아 가버렸다.

더 이상은 내가 할 수 있는게 있을까? 아, 내가 할 수 있는 한 가지. 그들이 앗아가려는 부모님의 막대한 재산.

그것을 지켜야 해. 분명 내가 지켜야 하는데, 왜 이리 지칠까. 내가 그렇게 노력을 한, 결과가 이거라서 그런 걸까.

너무나도, 지치는 하루지만 나라도 힘내야 해. 아니, 반드시 그래야 해. 내가 장녀로써, 첫 째로써 시작이자 마지막으로 유일하게, 부모님을 지킬 수 있는 수단이니까.

그러니까, 그들에게 순순히 내어줄 수 없어. 그런데, 나도 어린아이처럼 부모님께 기대고 싶고 수다도 떨며 장난도 치고 싶어.

이제는 그럴 수 없지만, 나를 저지해 줄 사람이 필요한, 어린 아이에게 찾아온 절망감과 무력감이 감싸진 밤이였다. 힘겹게 걸어서 도착했더니 믿을 수 없는 광경이 내 눈으로 마주하니 눈앞이 되게 깜깜해졌으니까.

이제, 나를 향해 웃어주고 나를 걱정해주고 지친 나를 저지해 줄 사람은 없는 걸까. 정말로 없는 걸까. 이 깜깜하고 어두운 이곳에서 날 꺼내 줄 사람은 없을까.

이렇게, 똑같은 래파토리에 나는 포기해야 하는 것인가. 끝도 없이, 이 잔인한 세계에서 살아 남아야 하네. 그리고, 난 조용하게 마지막의 눈물 한 방울을 흘렸다.

어제까지 만해도 행복한 웃음소리가 끊

이지 않던, 나의 일상이 하루아침에 이렇게 참혹해 진다니. 나는 이 현실을 믿고 싶지 않았다. 행복이 갑자기 불행으로 흘러가는 것은 그 누구도 바라지 않으니까.

이 세상에서 불행을 만드는 것은 누구일까. 나는 이 현실을 정말 믿고 싶지 않았다.

불행에서 불행으로 더해지는 건, 최악의 결말이니까. 하지만, 이미 일어난 일 부정해서 내가 무엇을 하겠나. 그냥, 쓸데없는 감정 소비만 할 뿐이니까.

나중에 시간이 지나면 다 괜찮아질거야.

사실은 무척이나 오래 걸리겠지만, 난 시간이 약이라고 믿고 싶은 거니까.

그렇게, 믿는 거야. 그 누구에게도 나의 진심을 내놓지 않으면 이렇게, 고통받을 일도 상처받을 일도 생기지 않으니까.

난 더 이상, 사람 따위 믿지 않으면 될 일이야. 그날 밤은 이 잔인하고 추악한 세상의 세계를 알아버린 날이었다. 그렇게, 그날 밤에는 첫눈이 내려온 날이였고, 아빠의 기일이 된날이였다.

그렇게, 나는 오늘 아빠의 장례식에 방문했다. 장례식장은 울음소리가 가득했으며, 분위기는 무거웠다. 장례식 주변 모든 사람들은 어두운 계열의 복장을 입고서 눈물을 보이기도 했다.

나의 하나뿐인,가족인 시연이도 눈물을 보였다. 심지어 친척들도 모두 눈물을 보였지만, 나는 눈물을 보이지 않았다. 그들 앞에서 약한 면을 보이면, 마지막 유품이자 유산을 지켜낼 수 없어.

내가 정신 차려야 이 아이의 생계가 유지될 거니까. 내가 정신 차려야 해. 내 행동에 나의 시연이의 생계가 달려있어.

내가 책임감을 가지고, 노력해야 해. 그

러지 않으면, 안 되니까. 그렇게 생각하며 살아 간지 한 달 뒤, 나는 일상으로 돌아갔다.

그렇게, 오늘도 평소와 다름없이 교복을 단정하게 갖춰 입었다. 나는 빨간 넥타이를 단정하게 맨 뒤, 방문을 열고 말했다.

"시연, 우리 늦었어" "얼른, 준비하자!"
"잠만, 양말!"

그 순간, 시연이가 발을 헛디뎠고 시연이가 서랍 모서리에 찍히려는 순간 나는 시연이에게로 향했고 나는 간발에 차이로 시연이를 받쳐 주었다.

“시연, 조심해야지” “넘어져서 다칠번 했잖아” “헤헤, 미안 미안”

걱정을 하자 방긋 웃어주는 시연이에 나도 모르게 웃음이 새어나왔다. 그렇게, 학교갈 준비를 아직 다못한 시연이의 준비를 챙겨주니 시간이 단축되었다.

그렇게, 우리는 현관문을 열고 밖으로 나섰다. 밖을 나오니 살랑살랑 기분 좋은 바람이 불어왔다. 이제 봄이라 그런가, 핑크빛의 꽃잎들이 떨어져 내려오고 있었다.

거기에다, 맑은 하늘에 하얗고 몽실몽실한 구름이 하늘이 떠 있었다. 뭔가, 오늘따라 핑크빛 같은 일이 일어날 것만 같았다.

그렇게, 나는 시원이와 여유롭게 수다를 떨다가 버스 정류장에 도착했다. 그리고, 손목시계로 시간을 확인했다.

시간은 오후 8시 37분. 지금 현재, 시간은 아직 여유로웠다. 나는 버스 정류장에서 시원이와 같이 버스를 기다리고 있었다.

버스를 기다리는 중에 지루한 나머지 시

연이와 함께 이야기 하며 수다를 떨었다. 시원하게 불어오는 바람을 느끼면서 시연이와 웃으며 즐겁게 수다를 떨고 있었다.

은은하게 불어오는 바람에 나는 기분이 너무 나른해졌다. 얼마나 시간이 지났을까, 시연이와 수다를 떨다 보니 어느새 연두색의 버스가 도착했다.

나는 시연이와 대화가 즐거운 나머지, 타이밍을 놓쳤고 난 버스를 탑승하기 위해, 줄을 섰다. 그렇게, 나는 시연이와 함께 버스에서 탑승 순서를 기다렸다.

"더럽게, 늦게 오네" "하마터면, 버스 놓

칠뻔 했어" "안 놓쳤잖아, 그럼 됐지"

내 앞의 순서인, 두 남학생은 투닥투닥 대화를 하곤 있었다. 그리고, 한 남학생이 버스를 탑승하기 위해, 버스 카드를 대었다. 하지만, 잔액이 부족합니다..라는 버스의 기계음의 소리가 들려왔다.

"뭐야, 버스비 없냐?" "아니, 그럴 리가 없는데" "그러게, 잔액을 잘 확인했어야지"

그 남학생 친구로 보이는 남학생은 버스비가 없는 남학생에게 놀리는듯한 말투로 킥킥, 웃어댔다.

“조용히 해, 니가 내줄 거 아니면” “아저씨, 외상 안되죠?”

“당연히 안되지, 여가 식당이냐” “저 지금 안타면, 지각인데?”

상황을 보아하니, 앞에 있는 한 남학생이 버스비가 없는 것 같아 보였다. 어라, 지금 버스 안 타면, 지각할 텐데.

“헛소리 하지말고, 안 탈 거면” “얼른 내려” “뒤에 사람 기다리잖아” “아, 죄송합니..”

“아저씨, 세 명이요” “두명이 잖어” “뒤에 남학생꺼 까지요 ” “뭐여, 아는 사이여?”

그리고선, 나는 뒤에 있는 남학생을 흘깃 쳐다보았고 말을했다.

“아뇨, 처음 보는 사이인데” “버스비, 없는 것 같길래” “감, 감사..합니다”

나는 그 남학생을 쳐다보며 노란색의 카드로 세명의 버스비를 내고는 그 남학생의 말에 고개를 끄덕거렸다.

나는 고개를 돌렸고 주변을 살펴보다가

빈자리를 확인했고 , 시연의의 손을 잡고 버스 남아 있는 자리에 앉았다.

그리고선, 난 다시 시연이와 대화하며 미소를 지었다. 덜컹거리는 버스 안에서 재미있게 수다를 떨다보니 나도 모르게 미소를 지었다.

그 순간에 누군가의 인기척이 느껴짐과 동시에 누군가가 나를 살짝 건들였다.

나는 고개를 돌려 누군가를 쳐다보았다. 그 순간에, 눈부시는 햇살과 함께 누군가에 실루엣이 비쳐 보였다. 곧이어, 햇빛에 그림자가 져서 그 실루엣이 걷히고 그를 보이자 놀랐고 곧이어 웃음이 터져버렸다.

“푸핫, 너 늦잠잤어?” “너 꼴이 말이 아니네” “네가 웃는거 보면,티 많이 나나보네”

“최대한 티 안내려고 했는데” “그렇게 티나?” “네 모습을 봐, 티가”

“ 안날 수가 없어” “또 뭐했길래, 또 늦잠잣어” “어제 게임 좀 하다가, 늦게 잤지..”

나를 부른이는 다름아닌, 나의 단짝친구

소현이었다. 소현이는 딱 쳐다만봐도 늦잠을 자서 버스에 겨우 탄것같앗다.

꼬불꼬불한 갈색 머리카락이 부스스하게 헝클어 져있었다. 흰색 교복마이가 단정하지 않았기도 했다.

그러니, 누가봐도 소현이의 현재 모습은 그냥 늦잠자서 대충 학교갈 준비해서 겨우 커트라인에 걸친 학생인 것처럼 보였다.

"그나저나, 네가 웬일이래?" "처음 보는 사람을 도와주고?"

소현이의 말에 나도 아까 도와준, 남학생을 왜 도와줬지..라며 생각해 보았다. 아무래도, 평소의 나였으면 신경 쓰지도 않았을 테니까. 그냥, 변덕스러운 마음 때문이지 않았을까.

"그냥, 호의 베푼 거야" "네가 생각하는 거, 아니니까" "이상한 생각하지 말고"

"에에, 아쉽네" "뭔, 생각한 거야..?" "난 네가 사랑이라도" "빠진 줄 알았지"

"헛소리가 많이 늘었네" "네가 안 하던 짓을 하니까 그렇지"

“하긴, 하도 언니가 주변에” “무관심하니까” “그 정도야..?” “응, 완전”

하긴, 원래의 나였다면 전혀 도와주지 않았을 것이니까. 그런데, 오늘은 나도 모르게 그 남학생을 도와주고 싶은 변덕이었 을뿐이니까.

그렇게, 나는 버스 안에서 우연하게 친한 친구를 만나, 내 동생인, 시연이와 친한 친구. 소현이와 한참 동안 수다를 떨었다.

그러다 보니, 살짝 미소를 짓게 되었다. 그리고, 친구와 수다를 떨다 보니 어느새 학교에 도착했다. 그렇게, 나는 일어나서 소현이와 시연이와 함께 버스를 내렸다.

버스를 내리니, 차가우며 시원한 바람이 날 반겨왔다. 검은빛의 나의 흑발의 긴 생머리가 바람에 흩날렸다. 그래서, 나는 시원한 바람이 기분이 좋아서 살짝 미소를 지으며 긴 생머리를 귀 뒤로 살짝 넘겼다.

우리 셋은 넓으며 시설이 좋은 건물인 고등학교로 향했다. 그런데, 그 순간 아까 내가 도와준 남학생이 나를 급하게 쫓아오며 나를 불러 세웠다.

“저기, 자 .. 잠시만!” “그 버스비 대신, 내준 거 고마워 ..!” “보답을 해주고 싶은데..”

“괜찮아, 뭘 바래서” “도와준게 아니니까” “그럼, 이름이라도 알려줘!” “..이름은 왜?”

그 남학생의 말에 나는 남학생을 경계를 하면서 그 남학생에게 이유를 물어봤다.

“너의 다정함에 첫눈에 반했어”

그 남학생의 말에 나는 당황했고 얼굴이 달아 오르는 느낌이 들었다. 이렇게, 적극적이게 말하는 애는 처음이라서 당황한 것 같았다.

나는 그게 무슨 헛소리라며, 남학생을 밀어냈지만 남학생은 강아지처럼 밝게 웃으며 나에게 계속해서 말을 걸어왔다. 그 남학생은 나의 손을 살짝 잡으며 앙탈을 부렸고, 나는 남학생의 낮 간지럽게 들이대자 뭔가, 귀찮아 졌다.

"알았어, 알았다고!" "알려주면 될거아냐"

그 순간, 핑크 빛의 벚꽃잎이 바람 때문에 내 밑에서 떨어졌다. 내 주변에는 핑크빛, 벚꽃잎이 휘날렸고 내 머리카락도 분위기에 잘 맞게 흔들렸다. 그리고, 나는 나의 머리카락을 만지작 거리며 남학생에게 툴툴대었다.

"강이현, 이현이야 "..이연, 이연이구나!" "이름 이쁘다..!" "나는 연우, 이연우야!"

"그래, 너랑 잘 어울리는 이름이네" "정말이야?" "응, 잘 어울리네.."

"정말, 그렇게 생각해?" " 그렇다니까..!" "그러면, 다행이네!"

"뭐가 좋다고 실실 쪼개?" "이현이, 네

옆에 있으니가 행복해서 웃지!"

연우는 나를 보며 도 뭐가 좋은지 웃으며 말하고 연우는 나손을 잡고 학교 안으로 들어갔다. 그리고, 넓은 운동장을 걷는 도중에 연우의 귀끝이 붉어진걸 보았다.

난 그걸 보자, 나도 모르게 웃음이 새어나왔다. 그런, 나의 반응에 밝게 웃으면서 나에게 계속해서 말을 걸어왔다.

왠지 모르겠지만, 연우의 미소를 보면 기분이 묘해졌다. 연우의 미소가 햇살 같은 기분이 들어서일까. 마치 햇살 아래의 푸릇푸릇한, 나무 아래 그늘에서 휴식을

취하고 있는 것 같았다.

아무래도 연우라는 아이에게 관심을 가지게 된 걸지도 모르겠다. 왠지는 모르겠지만, 연우의 미소가 따뜻해서라고 생각한다. 그것이 아니라면, 말로 설명하기가 어렵다.

그냥, 연우는 이유 없이 묘하게 끌리는 친구..라고 생각이 들었다. 그 순간, 소현이가 우리 둘을 유심히 쳐다봤다.

"연우랬나?" "응, 맞아" "우리 현이 원래라면, 현이 남한테"

“신경 일절 안쓰는데, 너 도와준거 보면”
“가능성이 있을지도?”

나는 소현이의 말에 한숨쉬고 앞서나갔다.

“시끄러워, 초면인” “ 애 한테 뭐하는거야” “엉뚱한 소리 하지말고”

“후딱 오기나해” “안 그럼 두고갈거야!”
“아잇, 치사해..!” “치사하긴, 네가”

“이상한 소리 하니까, 그렇지”

그러다가 문뜩, 나는 이상함을 느꼈다.

그래서, 뒤를 돌아봤다. 뒤에서는 연우가 나를 뚫어질듯하게 쳐다보고 있었다. 나는 연우의 이해 못하겠는 행동에 고개를 기웃거렸다.

“연우, 거기서 뭐해?” “너도 얼른 와, 그러다 우리 진짜 지각해”

“응, 현아!” “같이 가자!” “그래, 빨리 와” “빨리 안 오면, 두고갈거야” “뭐야, 너무해”

연우, 연우에게는 나도 모르게 감정을 드러내게 된다. 표정을 숨길 수도 없으며 말의 하나하나가 나도 모르게 표현하게 된다.

오늘 처음 만났지만, 앞으로의 인연이 소중하니까. 나는 한 번 더 사람을 믿어 보고 싶어졌다. 이런, 편안함은 네가 아니면 느껴보지 못할 것 같기에 난 너를 믿어보기로 했다.

이대까지 나에게 다가온 사람들은 나에게 목적을 가지고 다가온게 대다수였다. 하지만, 너는 달랐다.

그렇기에 나는 다른 사람은 몰라도, 너만은 믿어도 될것같은 그런 아이였다.

그날이 나와의 너와의 첫 만남이 었기도 했으며 핑크빛의 꽃잎들이 떨어져 내려오며 하늘에 하얗고 몽실몽실한 구름이 하늘이 떠 있는 날에 새로운 인연이 시작되는 한 봄의 시작이었다.

제2장 벚꽃이 흩날리는 봄

그날 이후로 연우는 수업이 끝날 때마다, 내 반으로 찾아왔다.

“이현아, 뭐해?” “쉬는 시간인데, 놀자!”

쉬는 시간에도 나에게 찾아와서 말을 종종 걸었다. 물론, 하교할 때도 재빠르게 와서 같이 하교를 하기도 했다.

“현아, 하교 같이하자!” “..그래, 그러자”

연우를 항상 보면 기분이 묘해진다. 내가 항상 툴툴거리며 미적지근한 반응을 해도 연우는 내가 뭐가 그렇게 좋은지 나에게 진심으로 반응을 하며 좋아했다.

지금도 쉬는 시간에 내 반까지 와서 웃

으면서 공부하는 나에게 이야기하기도 하면서 내 친구인, 소현이와 옆에 있는 애들과 이야기하며 나에게도 말을 걸기도 하니까.

“이야, 연우는 대단하네” “응, 뭐가?” “현이가 툴툴대도 미적지근한 반응을 보여도”

“현이는 아무래도 표현을” “잘 안 하는데” “너처럼, 현이의 작은 반응에도”

“좋아하는 애는 처음 봐서 “신기하면서, 대단하다고 생각이 드네”

“음, 그런가” “난 한 번씩 딱콩 때리고 싶던데” “뭐라고?” “아무 소리 안 했는데”

나는 쓸데없는 소리를 한, 소현이를 한 대를 때리고 다시 공부에 집중했다.

“이것 봐, 폭력적인 애한테!” “한 대 더, 맞을래?” “아뇨” “그럼, 조용히 해”

“그래서, 그 비결이 뭐야?” “글쎄, 잘은 모르겠지만” “아무래도, 난 현이를 좋아하니까”

얘가, 지금 뭐라는 거야..! 나는 손에 쥐고 있던, 파란색의 샤프를 떨어드림과 동시에 그 순간, 반 안에 있는 모두가 우리를 향해 쳐다보았다.

“그런 것 같아” “좋아하는 사람이 생기면, 뭐든지 다, 이뻐 보여이거든”

“툴툴대는 것마저 귀여워 보여” “마치, 고양이 같거든” “평소에는 날카롭지만”

“가끔씩은 크게 반응하고” “은근 챙겨주는 현이의” “그런 귀여운 점을 정말로, 좋아해”

그 순간에 거세게 바람이 불어왔다. 그것 때문인지는 몰라도 연우의 머리카락들이 바람에 흩날렸다.

거기에, 밝게 빛나는 햇살을 비추며 기분 좋게 웃는 연우의 미소까지. 나는 이때의 연우의 미소가 세상에서 가장, 밝으면서 햇살처럼 따뜻해 보였다.

그래서였는지, 나는 주변이 왠지 모르게 더워지는 것 같았다. 얼굴이 뜨거워진, 나는 고개를 돌렸다.

그러더니, 연우는 되게 좋아하며 내 얼굴을 보려고 요리조리 나에게 더 달라붙었다.

그런, 연우의 행동에 나는 연우를 밀어 내려고 하다가 순간 그와 눈이 마주쳤다. 그의 눈은 맑으며 밝은 햇살 같았다.

그런, 연우의 행동에 나는 연우를 밀어 내려고 하다가 순간 그와 눈이 마주쳤다. 그의 눈은 맑으며 밝은 햇살같았다.

내가 계속해서 연우를 쳐다보니, 연우도 내 얼굴을 보게 되었다. 그러더니, 연우는 내 얼굴을 잠시 동안 쳐다보았다. 그러더니, 연우는 한 손으로 입을 가리더니 얼굴이 붉어졌다.

나는 그런 연우에게 비켜,무거워..라며

연우를 밀어내었다. 나는 얼굴이 화끈화끈 거렸다. 그리고 그 순간에 수업을 시작하는 수업종이 울렸다.

이제, 가는건가 싶었지만 아니었다. 연우는 낯 간지러움..라는 것도 모르는지 나에게 자신의 얼굴을 가까이 다가왔다.

이거, 또 수작 부리네..!

나는 어제와 똑같이 나에게 들러붙는 연우를 밀어내며 수업이나 들으러 가..라고 잘 타일렀다. 하지만, 연우는 평소와 똑같이 나를 끌어안고 앙탈을 부리기 시작했다.

내가 아무리 밀어내려고 안간힘을 써봤지만 역시, 꿈쩍도 안 한다.

이걸, 어떡하지..라고 생각했고 우연히 지나가던, 학생주임 선생님이 우리 둘을 보셨고 반에 들어오셔서 연우의 귀를 잡아당기셨고 연우는 학생주임 선생님에게 끌려갔다.

나는 그런, 연우의 행동에 옅게 웃음을 지으면서 손을 흔들어줬다. 그리고 곧이어, 수업이 시작되었다.

수업이 시작된, 교실에는 연필의 소리인

사각사각 소리가 들려왔다. 그리고, 열심히 수업을 하시는 나긋나긋한 목소리가 귓가에 들려왔다.

거기에, 칠판에 적는 하얀 가루의 분필까지. 모든 게 조용한 나머지 지루해서였을까. 나도 모르게 오늘따라, 평소와 다르게 수업에 집중이 되지가 않았다.

그래서, 나는 깊게 한숨을 내쉬었고 책상에 엎드린 채로 창문 밖을 바라보았다.

몽실몽실한 하얀 구름이 하늘에 가득했으며, 푸릇푸릇한 초록색 나무들이 분홍빛의 벚꽃나무로 변했다. 뭘 했다고 벌써,

봄인 걸까.

나는 창문을 바라보며 손을 뻗어 보았고, 나는 푸른 하늘을 천천히 쳐다보았다. 분홍빛의 벚꽃나무로 가득했으며, 바람이 불어서 벚꽃잎이 떨어지는 그 순간마저 나른나른 해졌다.

그렇게, 창문밖에 있는 아름답고도 어여쁜 풍경을 감상하고 있었다.

그런 풍경을 보니, 왜인지 모르겠지만 밝은 미소가 생각나서 연우가 떠올랐다. 왜 이렇게, 난 네가 항상 보고 싶고 생각날까. 특히, 너의 밝으면서 햇살처럼 따뜻해 보이는 너의 미소가 떠올라.

진짜로 너란 아이, 신기하네. 나는 이때까지 단 한 번도 느낀 적 없는 감정들을 느꼈고 차올랐다. 그 아이는 생각보다 나에게, 중요한 사람이라고 생각이 들었다.

그러다, 어느덧 지루하고 따분한 수업 시간이 끝이 났다. 그리고, 수업이 끝나자 예상대로 연우는 반에 들어와서 나에게 후다닥 뛰어왔다. 그리고선, 평소처럼 밝게 웃으면서 나에게 말을 걸었다. 그런, 연우를 쳐다보며 나도 모르게 옅게 웃어 보였다.

“현아, 방금 웃은 거야?” “무슨 소리야” “ 내가 언제 웃었다고”

“아닌데, 분명히 웃었는데” “진짜로, 안 웃었다니까”

연우는 나를 못 믿겠는지 못마땅하게 쳐다보며 아랫입술을 삐죽 내밀더니 갑자기 나와의 거리를 좁혀왔다.

“웃었잖아, 왜 거짓말해?”

연우의 갑작스러운 행동에 나는 놀랄 수밖에 없었다. 평소에는 그렇게, 장난기가 많았던 연우가 이렇게 진지하게 나에게

들이대는 연우의 이런 면은 처음 봤으니까.

그 모습에 나는 무척이나 당황해서 연우를 밀쳐내고 자리에서 일어났다.

"됐고, 매점이나 가자" "우리 둘이서만?" "싫으면, 혼자 갈게" "아니, 완전 좋지!"

연우는 나의 팔짱을 끼며, 해맑게 웃어 보였다. 나는 그런 밝은 미소에 당연하다는 듯이 웃음이 절로 나오게 된다.

이런 사소한 일들이 어떡해, 이렇게까지 행복한 걸까.

너라서 그런지 모르겠지만, 너랑 함께하니까 더 좋은 것 같아. 아까도 마찬가지로 기분이 좋지만 이때 동안, 그 사소한 행동에 이렇게 들뜨게 되는지 모르겠지만 언젠가는 알아차리지 않을까.

나는 늘 그랬듯이, 오늘 하루도 너와 함께하고 있다. 그렇게, 우리 둘은 매점으로 걸어가며 이야기를 주고받았다. 그런데 그 순간, 무언가가 나에게로 빠르게 날라왔다.

나는 분명히, 맞을 것 같아서 질끈 눈을 감았지만, 내가 눈을 떴을 때는 연우의 품 안에 있었다.

아무래도 상황을 살펴보니, 후배로 보이는 한 남학생이 축구를 하다가 공을 잘못 차버려서 나에게로 향한 것 같았다. 그런데, 연우는 왜 이렇게 화를 내는 걸까.

설마, 나를 위해서 저렇게까지 화를 내는 건가? 나는 연우의 상냥함에 왠지 모르게 심장이 두근 거렸고 연우의 색다른 면에 한편으로는 감동을 받았다.

연우는 다른 사람과 다르게 순수하게 날 좋아하는 면에서 난 너라는 아이에게 빠져 버린 걸지도

"연우야, 실수인 것 같은데" "그렇게까지, 화내진 말자..!" "응?"

"..현아, 어디 다친 데는 없어?" "응, 멀쩡하니까" "우리 어서, 매점이나 가자"

그렇게, 나는 연우의 손을 잡고선 다시 매점을 향해 걸어갔다. 그리고, 어느새 매점에 도착했고 나는 빵과 음료를 고르고 계산을 하고선, 매점을 빠져나왔다. 그리고, 매점을 빠져나온 나는 뒤를 돌아보곤 연우에게 음료를 주었다.

"연..우야, 그 고마워" "아까, 공 맞을뻔한 거 도와줘서.." "고마운 의미로 이거

받아” “정말, 이걸 나한테 주는 거야??”

“그렇다니까..” “정말, 고마워. 현아!” “고마우면, 주말에 보던지” “ 현아 혹시..”

“내가 생각하는 그거야..?” “알면, 속아 주지 그래..?”

눈부시고 따스하게 비쳐오는 태양 아래에서 우리 둘은 친구 이상의 감정을 가지고 친구 이상의 관계가 시작되는 날이었을지도 모르겠다.

슬픔과 기쁨이라는 감정들이 아닌, 사랑이라는 낯간지럽고 두근거리며 부끄러운 감정이 말이다.

이 감정이 아직, 뭔지는 모르겠어. 하지만, 이런 감정은 오직 너에게만 통하니까 나도 너에 대해서 더 알아가고 싶어.

이 감정을 알아차리게, 너와 더 함께하며 이 의문스러운 감정을 알아가고 싶어. 계속, 이런 기분을 언제까지나 모른 척을 하고 싶지는 않으니까. 그래서, 나는 너와 나의 둘이서 추억을 더 만들고 싶어.

이번에는 그때처럼, 기회를 망설이다가 놓쳐버리지 않게, 그 기회를 바로 잡아서 난 사랑이라는 감정을 너에게 향하는게

맞는건지 알고 싶어.

제3장 사랑이란, 감정

이틀 전에 매점에서 연우에게 말했던 그 한마디 때문에 수업에 집중이 잘되지 않았다. 아까, 내가 말한, 그 말에 연우의 당황하는 모습을 보니 마음이 두근두근 거렸기 때문이다.

흑발의 머리카락이 흔들는 그 순간에 연우의 붉어진 물든 얼굴에 나를 쳐다보는 그 눈빛.

그 눈빛이 마치, 믿을 수 없는 행복이 찾아 온기라도 한듯한 눈처럼 보였다. 이때까지 연우를 보면서, 처음 보는 당황한 면이어서 내가 수업에 집중 못 하는 걸까?

아니, 아니야. 어쩌면, 나는 아까의 위험

한 상황에 연우에 품에 안겨 있었을 때부터 너를 의식하고 너에게 시선이 집중되는 것 같게 느껴지니까..

나는 너를 다른 이들과는 다른감정으로 널, 특별하게 여기는걸까.

너라는 존재가 언제부터, 나에게 특별한 존재가 되어버린지는 모르겠어. 하지만, 나는 네가 자꾸 시도 때도 없이 생각나고 한편으론, 걱정되기도 해.

아마도 나는 네에게 '사랑'이라는 감정을 너에게 확인 해보려고 해. 오늘부터 너에게 내 마음이 가는대로 너에게 표현해볼래.

오늘부터 너에게 내 마음이 가는 대로 너에게 표현해 볼래. 그렇게, 생각하며 수업에 집중하니, 어느새 해가 저물어갔고 하늘에서 한 방울씩 빗방울이 내리기 시작했다.

토독, 토도독 옅게 떨어지던 빗방울이 하교할 시간이 되더니 먹구름이 끼고 빗방울이 무수히 많이 내려오고 있었다.

윽, 우산 안 갖고 왔는데.. 그렇게 걱정을 하고 있던 중에 연우가 평소와 다름없이 같이 하교하자며 웃으면서 말했다.

“어쩌지, 갑자기 비가 와서” “ 나 우산 안 들고 왔거든”

“오늘은 같이 못 갈 것 같은데..” “그럼, 나랑 같이 우산 쓰고 갈래?”

붉게 물들어버린, 얼굴로 쑥스럽게 이야기하니 나도 모르게 웃음이 새어 나오며 그래, 라며 연우의 부탁에 따라주었다. 그런, 내 반응에 연우도 밝게 미소 지어 보였다.

그런, 연우는 오늘도 웃는 게 햇살 같았다. 꺼지지 않는 열처럼 따스하고 눈부신 햇살처럼 말이다. 어쩌면, 나도 연우 네가 좋아진 걸지도 모르겠네.

그렇게, 나는 갑작스레 날씨가 우중충해져 비가 쏟아내려져 연우와 함께 우산을 챙기고 같이 하교를 하게 되었다.

예상은 했지만, 우산을 둘이서 쓰니 연우와의 간격이 가까워졌고 우리 둘은 낯간지러워서인지 아무 말 없이 걷고 있었다.

뭔가, 분위기도 평소보다 어색했으며 그 어느 때보다 몸이 딱딱하게 굳는 것 같았다.

긴장을 하면, 몸이 딱딱하게 굳는다는 게 이런 느낌인 걸까. 게다가, 거짓말 같이 우리 주변에는 방해 요소가 하나도 없었다.

고요하며, 조용한 빗소리만 귓가에서 은은하게 들려올 뿐이었다.

그러다가, 어느 순간 어색한 공기를 깨져 버렸다. 그 어색한 공기를 깨버린 건 다름아닌, 연우였다. 그것도 내 어깨를 잡고으며, 자신의 품으로 끌어당겼다.

연우의 갑작스러운 행동에 난 엄청나게

당황했다. 그것보다, 연우의 품 안이 너무나도 따뜻하여서 기분이 좋아져, 내 심장이 터질 것 같았다.

게다가, 분명히 비가 오면 쌀쌀할 건데 왜 나는 그 어떤 사계절보다, 그 어떤 날보다도 따스하게 느껴졌으며 심장이 평소보다 두 배는 빠르게 뛰는 것 같았다.

"비 맞으면, 감기 걸리니까.." "불편해도 조금만, 참아줘" "..안 불편해"

"오히려, 좋은데" "따뜻하기도 하고 다른 사람도 아닌, 너니까 좋아"

연우의 말에 나도 모르게, 비가 와서 그런지는 몰라도 볼이 뜨거워졌다. 아무래도, 내 볼이 붉어진 것 같았다. 그런, 나는 환하게 미소 지었다.

연우에게 눈웃음을 보이면서 몇 년 만에 처음으로 다른 이에게 환하게 웃어 보였다.

그런, 나는 환하게 미소 지었다. 연우에게 눈웃음을 보이면서 몇 년 만에 처음으로 다른 이에게 환하게 웃어 보였다.

내 웃음에 연우는 굳었다가 곧이어 얼굴이 붉게 변하다가엄청나게 당황을 하며 삐걱삐걱 대었다. 그런, 나는 연우의 귀여운 행동에 나는 또다시 웃음을 짓게 되었다.

그러자, 연우는 이 순간이 행복하다는 듯한 표정을 지으며 연우와 함께 우산을 쓰면서 수다를 떨었으며, 연우는 나를 집까지 바래다주었다.

연우의 다정하고 착한, 여러 가지 매력에 나는 진작에 너한테 표현이나 할 일을 너무 오래 부정하고 끌었다는 생각이 들었다.

이렇게나, 네 눈을 바라보면 네가 날 얼

마나 좋아하는지를 알게 되었고 지금 네가 얼마나 행복한지 알게 되었다. 조금만 더 일직 깨달았으면 좋았을 텐데. 뭐, 그래도 지금이라도 알아버렸으니 다행인 건가.

지금, 이렇게 헤어진 상황까지 왔음에도 불구하고 우리가 통화까지 하니까. 지금이라도 알아버려서 다행이라고 생각이 들어.

“왜 전화했어?” “그냥, 전화했는데” “그냥이라, 왜인지 좋네” “뭐가..?”

“전화하고 싶을 만큼, 내가” “보고 싶었

다는 거지?" "뭐래.."

솔직하게 네가 우리 집까지 데려다주었을 때, 네가 전화번호를 물어볼 줄은 몰랐는데 솔직하게 기뻤어. 그래서, 지금도 너랑 전화를 하며 웃으며 있는 게 너무나도 행복한 하루라고 생각이 들어.

이대로만, 행복한 일들만 일어났으면 좋겠고계속해서 이대로만, 행복한 일들만 일어났으면 좋겠어.

너를 만나기 전까지는 언제나 사람들에게 상처를 받아왔어. 하지만, 너를 만나고서부터 나는 조금씩 마음에 변화가 생기게 되었어.

이번만 이번만을 마지막으로 한 번만 더 믿어볼래, 라고 생각했던 게 정말 다행이라고 생각이 들 만큼 너를 좋아하게 되어버렸나 봐.

그렇게, 생각하며 너와 수다를 떨더니 어느새 밤이 늦어서 통화를 끊게 되었으며 해가 밝게 빛나는 아침이 찾아왔다. 그렇게, 교복을 단정하게 갖춰 입고는 학교로 나서려고 했다.

그런데, 문뜩 탁자를 쳐다보게 되었고 나는 탁자에 있는 삔을 만지작거리며 생각했다. 이거, 어제 연우가 줬던 삔이지..
어제 비를 맞으면서 나에게 머리카락을 귀 뒤로 넘기며 삔을 꼽아준 장면이 새록새록 생각이 들었다.

연우가 처음으로 준, 선물이라서 그랬는지 몰라도 잘 넘기지도 않는 머리카락 방향을 바꾸어서 분홍색 삔을 머리카락에 꽂았다.

아무래도, 네가 준거라서 잘 쓰지도 않는 삔을 너 덕분에 쓰기도 해보네.

너한테는 고마운 게 왜 이렇게나 많은지 언제나 너로 인해서 이렇게까지 내가 달라지게 될지 몰랐는데. 정말 너에게는 고마운 일이 가득한 지 모르겠지만 너로 인해, 나는 좋은 쪽으로 점점 변하고 있는 것 같아.

언젠가 내가 너에게 표현을 자연스럽게 아무렇지 않게 표현하는 날이 온다면 난 너에게 이렇게 말해주고 싶어.

나를 이렇게까지 달라지게 해준 사람은 밝게 웃어준 너의 태양과도 같은 미소와 태양 같은 너의 적극적인 너의 행동 덕분에 이렇게 변한 거라며 너로 인해, 내가 이렇게 될 수 있었다고 말하는 날이 언젠가는 오겠지, 연우야.

파란색의 청량한, 푸른 하늘을 보며 그렇게 생각했으며 학교로 향하고 있었다.

“현아, 좋은 아침!” “응, 좋은 아침이야” “어..현아?” “이거, 어제 내가 준..” “아,응..”

나는 분홍색 빛의 삔을 만지작 거렸다.

“네가 준, 선물이라서..” “한 번 해봤는데..”“어때, 잘 어울려..?” “응, 정말 잘 어울려”

분홍빛의 벚꽃이 흩날리는 봄. 우리는

푸르른 청춘을 즐기고 연우와 함께 웃으면서 연우와 함께 등교를 하며 수다를 떨었다.

우리는 어제보다 더 친근 해진 것 같았다. 그리고 연우와 함께 등교하며 같이 음악을 들으면서 등교했다. 그리고, 오늘은 태양처럼 밝은 우리의 관계가 친근한 사이에서 더 발전되게 되는 날이었다.

그날의 사건은 평범하게 수업이 끝나고 쉬는 시간이 몇 번을 반복해서 학교를 마치게 되는 하교 시간이었다. 그리고, 언제나 너는 똑같이 하교 시간이 끝나자 나에게로 달려왔다.

오늘은 무슨 핑계로 내 옆에 있으려나 생각해 봤다. 그런데, 오늘은 내가 너에게 다가가보고 싶었다. 그래서, 난 너에게 가까이 다가갔다.

"연우야, 이 문제 알아?" "알긴, 아는데.." "우리 너무 가까운 것 같은데.."

"왜, 가까우면 안 돼?" "언제는 나 좋다면서, 지금은 싫어?"

눈매가 어여쁘게 찢어지며 나는 여우같이 야살스럽게 웃었다. 그러더니, 너의 귀라든지 얼굴이라든지 전부 홍당무처럼 붉게 변했다.

“싫지 않아. 아직까지, 널 좋아하고 있는..”

“이 마음은 진심이야”

청량하게 떠있는 푸른 하늘과 몽실몽실한, 구름이 비쳐오는 날에 너는 나에게 두 번째 고백을 하였다.

첫 번째로 고백한 그날 보다 더, 진지해 보였으며 네가 고백을 할 때, 내 손을 네 가슴팍 쪽으로 가져다 대어서 그런지 너의 심장도 평소보다 더 빠르게 뛰었으며, 나까지도 심장이 빠르게 뛰는 것 같았다.

이때까지, 감정은 낭비라고 생각해왔으며, 마음을 주는 것 또한 멍청한 짓이라고 생각했어요. 모두의 동정 어린 시선에 목적을 가지고 보는 시선.

그 시선도 모자라서 목적을 가진, 정을 붙여서 도구로 쓰게 하는 그런 상처만 받아와서 더는 그 누구도 믿지 않으려고 했었다. 하지만, 저는 오늘부로 인해 그 착각을 접으려고 합니다.

왜냐하면, 그 생각을 꺾어버리게 한 사람이 나타났으며 나를 진심으로 생각해주는 사람을 만나게 되어서라는 이유로

저는 행복을 꿈꾸려고 해요.

“그 마음, 영원할 거라고” “ 약속한다면, 나” “너에게 나의 전부를 줄래” “어?”

“나의 몸과 마음을 전부, 너에게” “줄만큼 너를 좋아하게 되어버렸어”

열게 미소를 지으면서 붉게 홍조를 띠자 연우는 믿을 수 없다는 듯이 볼이 붉어져선 계속해서 진짜냐고 물어봤다.

“네가 날 좋아해서, 나에게” “관심을 보인, 너의 진심에..” “나도 네가 좋아졌어”

그런, 나의 행동에 연우는 양손으로 내 얼굴을 잡았다.

"그말 무르기 없기다..?" "..무르고 싶지도 않아.." "처음으로 다른 이에게"

"전한, 내 진심이니까

그 순간, 연우와의 거리가 좁혀왔으며 너는 나의 얼굴을 보다, 미소를 지었다.

"다행이야, 네가 처음으로 주는 진심이자" "너의 마음이 나여서"

그 순간, 연우는 나에게 짧은 입맞춤을

선물해 주었다. 순식간에 일어난 일이라 난 눈을 여러 번 깜빡 깜빡거리며 분홍빛의 내 입술을 만지작거렸다. 그리고, 나는 뒤늦게 연우가 무슨 짓을 나에게 했는지 알아챘으며

그런, 연우에게 무슨 짓이냐며, 연우의 팔을 때렸다. 그러자, 연우는 웃으면서 나에게 귀여워서 그랬다며 날 놀리면서 웃기 시작했다.

연우의 장난은 장난스럽게 그지없었지만, 그 누구보다도 따뜻한 그 표정에서 지금이 어느 순간보다 행복하다고 다 드러날 만큼 웃는 그 미소에 나도 모르게

웃음이 나온다.

그렇게, 행복하고 두근거리는 사랑인 기쁨인 하루가 지나갔다. 그렇게, 하루가 지나가고 주말이 찾아왔다.

붉은빛의 단풍잎이 흩날리는 계절, 가을. 시원하게 바람을 느끼며 떨어진 단풍이 가득한 공원에서 누구를 기다리고 있었다.

“현아, 미안 내가 늦었지?” “아냐, 나도 방금 왔어” “얼른가자”

그 순간, 연우가 헉헉대며 나에게 달려

왔다. 그래, 오늘은 연우와의 첫 데이트 날이다. 그렇게, 우리 둘은 공원에서 카페까지 걸어가며 즐겁게 이야기를 하며 걷고 있었다.

우리 둘은 즐겁게 이야기를 하고 있었을 때, 나는 연우 머리 위에 있는 단풍잎을 보고 연우에게 잠깐 숙여봐라고 말하니 연우는 살짝 숙여 주었다.

그리고, 나는 연우 머리 위에 있는 단풍잎을 떼어내고 활짝, 웃어 보였다.

“연우야, 뭘 붙이고 다니는 거야?”

그런, 나의 행동에 연우의 얼굴빛은 붉게 물들었다. 그런, 연우의 표정에, 나는 엄청 웃어 보였다.

"뭐야, 설레기라도 했어?"

그렇게, 나는 연우를 놀리면서 카페로 다시 향했다. 그렇게, 우리 둘은 계속해서 걷다 보니 카페에 도착했고 음료를 주문했으며 연우와 자리에 함께 앉아서 기다렸다.

그러면서, 연우와 휴대폰을 보다가 우리 둘은 눈이 마주쳤고 우리 둘은 동시에 환하게 미소 지어 보였다.

그러자, 진동벨이 요란스럽게 울리며, 가지러 가려고 하니 연우가 내가 가져올게, 기다려라고 말하며 음료를 가지러 갔다. 그렇게, 폰을 보면서 연우를 기다렸다.

그런데, 나는 어느 한 사람을 보자 자연스럽게 주먹을 쥐고 있었다. 어째서, 저 자식이 이곳에서 느긋하게 앉아서 저러고 있는 거야.

그런 짓을 하고서 저렇게 살아가도 되는 거야? 저런, 인간 말종이 저래도 되는 거냐고. 나는 저 자식이 평화롭게 살고 있는 것을 보자 정신이 아득해졌다.

어째서, 사람을 죽인 저런 악마보다 더한 놈이 저렇게 평범하게 살아갈 수 있는 거야.

나는 그때만 생각하면, 얼마나 숨이 막혀오는데 저 자식은 그딴 짓은 한 적 없다는 듯이 저렇게 누군가와 인연을 쌓고 있는 거야. 자신은 손에 피 한 방울 안 묻힌 사람인 척 저런 역겨운 행세를 할 수 있는 거야?

그 순간, 연우가 음료를 들고 왔으며 나는 아무 일 없었다는 듯이 웃으면서 나에게 말을 걸어주었다. 그런, 나는 아까 그 자식을 찾을 방법을 모색하려는 생각을 하며 커피를 한잔 마셨다.

원래라면, 달달하면서 끝 맛은 써야 하는데, 그 자식 때문에 오늘따라 아주 쓰게 느껴졌다. 이런 게 인생의 쓴맛이었으며 비극은 항상 발 뻗을 때에 찾아온다는 그 말을 다시금 되새겼다.

하지만, 나는 또다시 망설이게 된다.

내가 과연, 그 자식 때문에 인생을 망쳐야 하나. 아니, 내 인생은 그렇다고 쳐도 연우가 슬퍼하지 않을까. 연우는 나의 이런 어두운 면을 알지 못하니까.

그 사실을 알아차렸을 때, 자기 혼자 자

책하겠지. 연우는 착해빠졌으니까.

아무래도 연우가 마음에 걸렸고 나는 며칠 동안 생각에 빠졌다. 하지만, 그 녀석의 정보를 조사했으며 사람을 시켜서 사소한 정보를 세세하게 다 알아내었다.

그 녀석은 아직도 살인 청부업자 일을 계속하고 있었다. 그 자식에게 목숨을 잃어버린 이들은 셀 수도 없이 많았다.

그중에서 우리 아빠도 포함이었고 말이다. 1년 전에 타살로 목숨을 잃은 아빠. 아빠는 경찰관이었고 그만큼 실력이 좋은 경위까지 승진을 하셨다. 하지만, 실력 좋은 청부업자에게 습격을 당하셨고 그로 인해, 과다출혈로 인한 타살로 돌아가셨다. 하지만, 이 지구상에서 수많은 인구가 존재한다.

그러므로, 나는 그 자식을 찾을 수 없다는 것을 체념해서 복수할 수도 없었다.

그런데, 우연히 며칠 전에 마주했고 나는 아빠의 죽음을 위한, 복수를 할 수 있게 되었다. 그런데, 어째서 연우가 자꾸만 아른거리고 네가 신경이 쓰일까.

유일하게, 아빠의 원수를 죽일 수 있는 기회인데. 왜 나는 망설이고 있는 걸까.

나는 기회를 지금 너로 인해 걷어 차버려야 하는 걸까.

나는 너로 인해 많은 것이 달라진 은혜를 언제든지 갚겠다고 약속했는데 이런 선택을 해도 되는 걸까.

지금까지 17년 인생에서 반드시 해야 할 선택해야 하는 선택 두 가지 중에서 가장 선택하기 어려운 선택이었다.

제4장 비극속에서 피어난 사랑

언제부터 내가 이렇게 정이 많았지. 분명, 나는 정이 많지는 않았는데. 아니, 연우라서 이렇게까지 고민하는 거야.

나의 마음을 전부 줄 만큼 너를 사랑했었나. 아니, 아직도 사랑을 하고 있는 건가. 어차피, 남인데 남인데.. 이렇게까지 고민하게 되는 건 왜일까.

복수, 늘 복수를 꿈꿔왔는데 난 단 한

사람 때문에 이 기회를 걷어 차버려야 하는 건가. 딱 한 번만, 눈 감고 이기적이게 굴면 되는데. 어째서, 나는 결정을 내릴 수 없는 걸까.

사랑은 어째서 고통을 주고 아픔을 주고 슬픔도 주는 걸까. 그냥, 딱 한 번 이기적이게 굴고 싶은데 그러면, 너의 청춘을 망치게 되는 것이고

첫사랑이자, 첫 연애였던 너의 청춘을 잔인하게 망치는 것 같아서 자꾸만 망설이게 돼. 그래서, 이 어두컴컴하고 빛 한줄기도 없는 방 안에서 아무것도

안 하게 돼.

나 어떡해야 해, 아빠.

있지 아빠 어렸을 때, 나에게 항상 그렇게 말해줬잖아. 사랑은 한때는 행복하지만 큰 고비가 올 거라고.. 엄마는 이미 돌아가셨는데 어째서 아빠는 엄마를 사랑해서 경찰을 계속한다니 이해할 수 없었어.

그 위험한 일을 나이를 먹어도 계속한다니 바보 같은 말이라고 생각했었다. 그리고, 쓸데없는 사랑에 의한 고

집에 의해 아빠는 돌아가셨다. 그래서, 나는 아빠처럼 되지 않으려고 사랑 따위 안 하려고 했는데 그럴 수가 없더라.

아이가 너무나 눈부셔서 계속 함께 하고 싶다고 생각이 들어.

그 밝은 미소가 나로서 밝은 불빛이 꺼질까 봐, 무서워. 나 너무 지쳐버려서 오늘따라 너의 밝은 미소를 보고 싶다고 생각되는 밤이네.

하필, 밤이라 너와 반대되는 나의 감

정의 색 같아서 나는 왠지 모르게 한숨을 내쉬었으며 나는 우연히 거울을 보게 되었다. 그래서, 난 붉어진 눈시울을 만지다가 그새 또 눈물을 흘려 보였다.

지금 내 모습이 얼마나 처량해 보였는지.. 지금의 내 상태는 사흘 전과 비교할 수 없을 만큼 말도 안 되게 변했으니까.

붉어진 눈시울부터 갈라진 입술. 부스스한 머리까지. 나는 나의 모습에 나 자신이 보기 싫어졌다. 그래서, 나는 후드를 눌러쓰고 기분 전환을 하려고 산책을 하러 밖으로 나섰다.

어두우며 깜깜하고 작은 아기 별들이 반짝 빤짝하게 밝게 빛이 나는 그런, 밤하늘이 너무 아름다워서 한참 동안 쳐다보았다.

밤하늘을 계속해서 쳐다보니, 괜히 마음이 더 무거워졌다. 이러려고 산책을 나온 게 아닌데. 그냥, 기분을 전환하려고 나온 건데 쓸데없이, 괜히 기분만 더 무거워졌네.

나는 해탈한 듯이 억지웃음을 짓고 나니 눈시울이 붉어지기 시작하더니 나의 눈에서 투명한 눈물이 떨어지기 시작했다.

어째서, 그 자식은 나의 아빠를 살해했을까. 그 자식이 살인 청부 업자까지 시켜서 죽이는 건 너무하잖아..? 게다가 아빠는 그저, 경찰로써 살인사건 용의자를 체포한 건데 살해당했어.

그것도 그 많고 많은 경찰관 중에서도 왜 우리 아빠 야만 했어.

엄마는 동생을 낳으시다가 돌아가셨는데 어째서, 아빠까지 앗아가다니 나는 원통했으며 분노가 머리끝까지 차올랐다. 더 이상은 예전 생활로는 돌아갈 수 없으니

까. 그래서, 나는 복수를 해야 하는데

왜 자꾸만 네가 마음에 걸릴까?

그 순간, 갑자기 누군가가 나의 이름을 부르면서 소리치기 시작했다. 나를 부르던 이는 다름 아닌, 연우였다.

솔직히, 나는 내가 꿈을 꾸는 줄 알았다. 연우가 여기 있을 리가 없었으니까. 이 장소는 내가 연우에게 알려준 적도 같이 가본 적도 없었으니까.

그런, 나는 당연히 황당해 할 수밖에 없었다. 게다가 이렇게 초라하게 짝이 없는 내 모습을 연우에게 보여 주고 싶지는 않았다.

그래서, 나는 연우가 나에게 다가오자 나는 이 장소를 어떡해서든 벗어 날려고 몸을 돌렸지만, 눈 깜짝할 사이에 연우는 나에게로 와서 내 손목을 붙잡았다.

그런, 나는 안간힘을 써가면서까지 연우에게 벗어나려 했지만, 아무래도 여자인 내가 남자인 연우를 밀어낼 수는 없었다.

“놔줘..” “..야, 너 지금 뭐 하자는 거야?” “연락도 안 되고, 학교까지”

"안 나오면, 어쩌잔 거야" "내가 얼마나, 얼마나..!" "걱정한 줄 알아..?"

처음 보는 연우의 차가운 모습. 그리고, 엄청 화난듯한 말투와 목소리. 그리고, 표정까지. 모든 것이 어색했다. 아무래도 날 걱정했으려나.

"무슨 일이라도 있어?" "무슨 일 있으면, 내가 도와줄게" "응, 현아 제발 말해줘라.."

연우는 내 어깨를 잡으면서 나에게 부탁했다. 나는 그런, 연우의 얼굴을 보려고 올려다보니 연우는 울고 있었다.

나는 그런 연우의 행동에 나는 괜히 마음이 약해졌다. 하지만, 나는 약해지지 않기로 했다. 그래서, 나는 나를 붙잡고 있는 연우의 양팔을 조심스레 내렸다.

"무슨 일 없어" "그러니까, 비켜"

나는 무표정으로 연우에게 차갑게 말을 했고, 연우는 양손으로 내 손을 잡았다.

"거짓말, 너 무슨 일 있잖아" "말해주기 전까지" "이 손 안 놓을 거야"

항상, 나에게 웃으면서 말하던 너의 진

지한 행동. 나를 걱정해서, 화내고 있는 모습까지. 너는 정말 상냥하고 좋은 사람이지만, 나에게는 너무 과분한 사람이야.

나 같이 이기적이고 표현도 서툴고 표정 변화도 별로 없고 까칠한 나에게는 네가 너무 과분해.

그러니까, 나에게 마지막의 배려를 해주면 좋겠는데 나는 너에게 심한 말까지 해서 너에게 상처를 주기는 싫은데 너는 날 놓아줄 생각이 없나 보네.

"나를 위한 척이랍시고" "동정하지 말고, 이거나 당장 놓으라고"

나는 일부로 연우에게 화를 내며 매서운 시선으로 연우를 노려보았다. 그러자, 연우는 나를 빤히 쳐다보다가 나를 와락 안아 주었다.

“괜찮아, 괜찮으니까” “애써, 일부로 화내지 않아도 돼” “마음에도 없는 말”

“하지 않아도 돼” “나를 믿어줘, 현아” “나를 조금이라도 좋아하면” 네가 숨기고 있는..“

“비밀을 솔직하게 말해 줘” “네가 걱정돼서, 하는 말이야"